Impressum
Verlag: BABADADA GmbH, Nedderfeld 112 , 22529 Hamburg
Geschäftsführer / Verlagsleitung: Harald Hof
Druck: Books on Demand GmbH, In de Tarpen 42, 22848 Norderstedt

Imprint
Publisher: BABADADA GmbH, Nedderfeld 112 , 22529 Hamburg, Germany
Managing Director / Publishing direction: Harald Hof
Print: Books on Demand GmbH, In de Tarpen 42, 22848 Norderstedt

colegio
სკოლა

aula
საკლასო ოთახი
dividir
გაყოფა
186/2
pizarrón
დაფა
patio de escuela
სკოლის ეზო
maestro
მასწავლებელი
papel
ქაღალდი
escribir
წერა
birome
კალამი
escritorio
მაგიდა
regla
სახაზავი
libro
წიგნი
alumno
მოსწავლე

mochila
ზურგჩანთა

caja de lápices
პენალი

lápiz
ფანქარი

sacapuntas
ფანქრების სათლელი

goma (de borrar)
საშლელი

bloc de dibujo
ნახატების ალბომი

dibujo

ნახატი

pincel

ფუნჯი

caja de pinturas

საღებავის ყუთი

tijera

მაკრატელი

pegamento

წებო

cuaderno de ejercicios

სავარჯიშო რვეული

tarea

საშინაო დავალება

12

número

ნომერი

2+2

sumar

დამატება

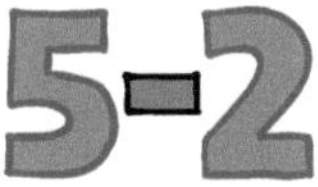

5-2

restar

გამოკლება

2×2

multiplicar

გამრავლება

calcular

გამოთვლა

A

letra

წერილი

**ABCDEFG
HIJKLMN
OPQRSTU
VWXYZ**

abecedario

ანბანი

hello

palabra

სიტყვა

texto

ტექსტი

leer

წაკითხვა

tiza

ცარცი

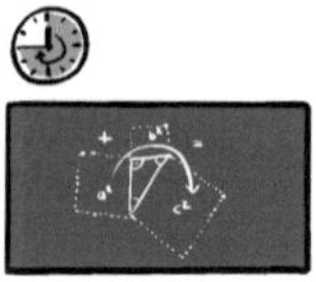

lección

გაკვეთილი

cuaderno de clase

რეგისტრაცია

examen

გამოცდა

certificado

სერტიფიკატი

uniforme escolar

სკოლის ფორმა

educación

განათლება

enciclopedia

ენციკლოპედია

universidad

უნივერსიტეტი

microscopio

მიკროსკოპი

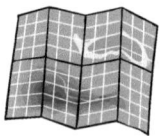

mapa

რუქა

tacho (de basura)

კალათა ნარჩენი
ქაღალდებისათვის

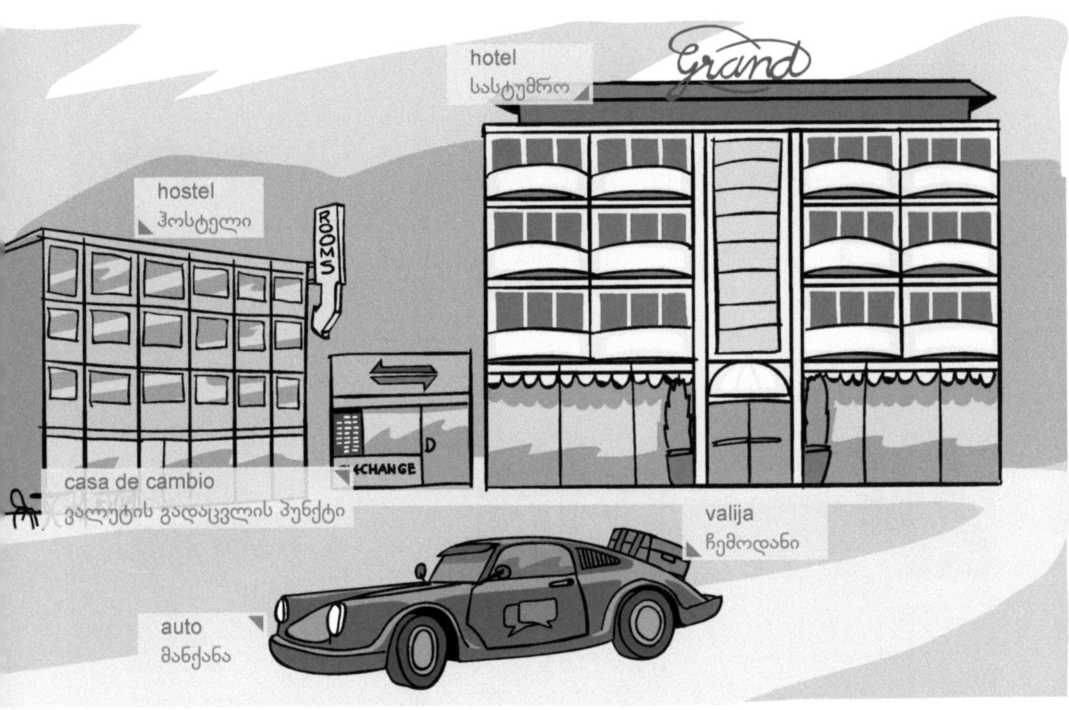

hotel
სასტუმრო

hostel
ჰოსტელი

casa de cambio
ვალუტის გადაცვლის პუნქტი

valija
ჩემოდანი

auto
მანქანა

idioma
ენა

sí / no
კი / არა

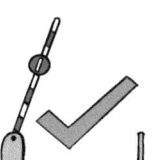

Está bien
კარგი

hola
გამარჯობა

traductor
მთარგმნელი

Gracias
გმადლობთ

¿cuánto cuesta...?

რა ღირს... ?

No entiendo

ვერ გავიგე

problema

პრობლემა

¡Buenas tardes!

აღამო მშვიდობისა!

¡Buenos días!

დილა მშვიდობისა!

¡Buenas noches!

ღამე მშვიდობისა!

adiós

ნახვამდის

dirección

მიმართულება

equipaje

ბარგი

bolso

ჩანთა

mochila

ზურგჩანთა

invitado

სტუმარი

habitación

ოთახი

bolsa de dormir

საძილე ტომარა

carpa

კარავი

información turística

ტურისტული ინფორმაცია

playa

სანაპირო

tarjeta de crédito

საკრედიტო ბარათი

desayuno

საუზმე

almuerzo

ლანჩი

cena

ვახშამი

pasaje

ბილეთი

ascensor

ლიფტი

sello

საფოსტო მარკა

frontera

საზღვარი

aduana

საბაჟო

embajada

საელჩო

visa

ვიზა

pasaporte

პასპორტი

transporte
ტრანსპორტი

avión
თვითმფრინავი

barco
გემი

autobomba
სახანძრო მანქანა

camión
სატვირთო მანქანა

colectivo
ავტობუსი

lancha a motor
მოტორიზებული ნავი

auto
მანქანა

bicicleta
ველოსიპედი

ferry

გორანი

bote

ნავი

moto

მოტოციკლი

patrullero

პოლიციის მანქანა

auto de carreras

სარბოლო მანქანა

auto de alquiler

დაქირავებული მანქანა

alquiler de autos

მანქანის ერთობლივი მოხმარება

grúa

საბუქსირე მანქანა

camión de basura

ნაგვის მანქანა

motor

ძრავა

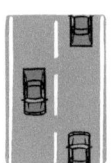

nafta

საწვავი

estación de servicio

ბენზინგასამართი სადგური

señal de tránsito

საგზაო ნიშანი

tránsito

მოძრაობა

embotellamiento

საცობი

estacionamiento

მანქანის სადგომი

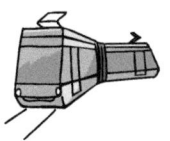

estación de tren

მატარებლის სადგური

vías

ლიანდაგები

tren

მატარებელი

tranvía

ტრამვაი

vagón

ვაგონი

helicóptero

ვერტმფრენი

aeropuerto

აეროპორტი

torre

კოშკი

pasajero

მგზავრი

contenedor

კონტეინერი

caja de cartón

მუყაოს ყუთი

carretilla

ურიკა

canasta

კალათა

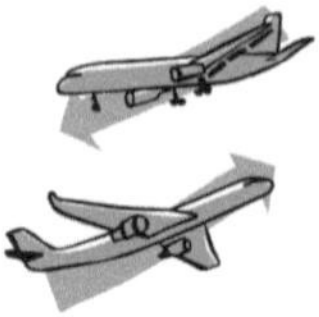

despegar / aterrizar

აფრენა / დაშვება

ქალაქი

pueblo

სოფელი

centro de ciudad

ქალაქის ცენტრი

casa

სახლი

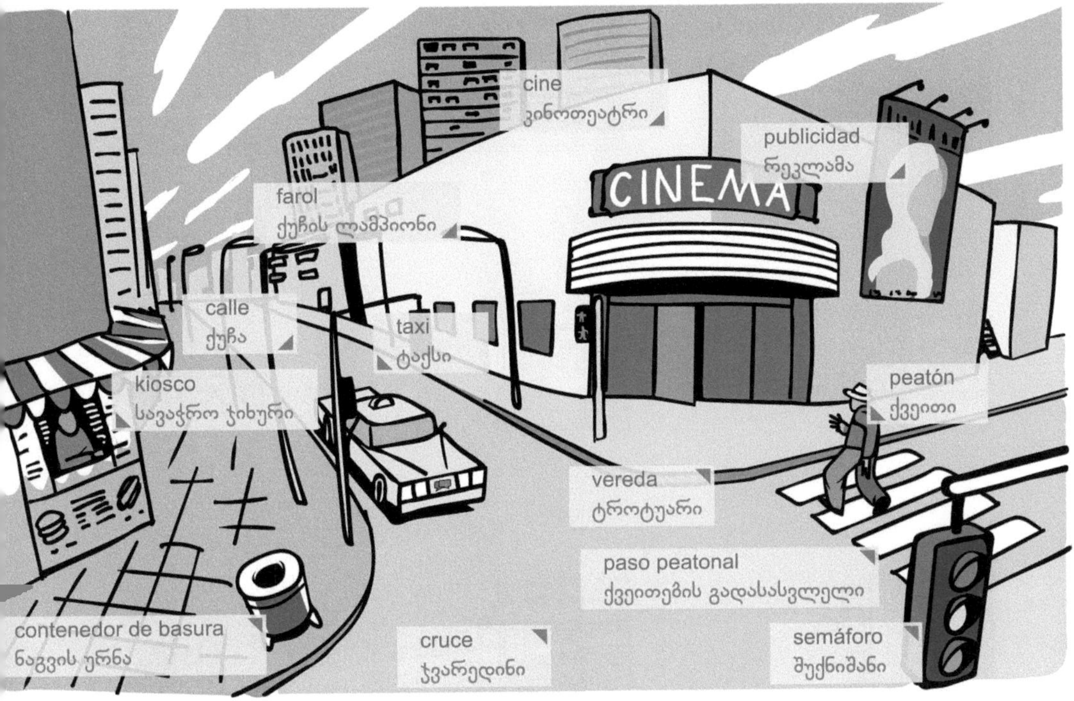

cine
კინოთეატრი
publicidad
რეკლამა
CINEMA
farol
ქუჩის ლამპიონი
calle
ქუჩა
taxi
ტაქსი
kiosco
სავაჭრო ჯიხური
peatón
ქვეითი
vereda
ტროტუარი
paso peatonal
ქვეითების გადასასვლელი
contenedor de basura
ნაგვის ურნა
cruce
ჯვარედინი
semáforo
შუქნიშანი

cabaña

ქოხი

departamento

ბინა

estación de tren

მატარებლის სადგური

municipalidad

მუნიციპალიტეტი

MUSEUM

museo

მუზეუმი

colegio

სკოლა

universidad

უნივერსიტეტი

banco

ბანკი

hospital

საავადმყოფო

hotel

სასტუმრო

farmacia

აფთიაქი

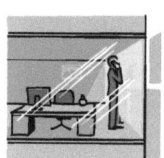

oficina

ოფისი

librería

წიგნების მაღაზია

negocio

მაღაზია

florería

ფლორისტი

supermercado

სუპერმარკეტი

mercado

ბაზარი

grandes tiendas

მაღაზიის განყოფილება

pescadería

თევზის გამყიდველი

centro comercial

სავაჭრო ცენტრი

puerto

ნავსადგომი

parque

პარკი

banco

გრძელი სკამი

puente

ხიდი

escaleras

კიბეები

subte

მიწისქვეშა გადასასვლელი

túnel

გვირაბი

parada del colectivo

ავტობუსის გაჩერება

bar

ბარი

restaurante

რესტორანი

buzón

საფოსტო ყუთი

letrero

ქუჩის ნიშანი

parquímetro

პარკინგის საზომი

zoológico

ზოოპარკი

pileta

საცურაო აუზი

mezquita

მეჩეთი

granja

ფერმა

contaminación

გარემოს დაბინძურება

cementerio

სასაფლაო

iglesia

ეკლესია

juegos infantiles

საბავშვო მოედანი

templo

ტაძარი

ლანდშაფტი

hoja
ფოთოლი
poste indicador
გზის მანიშნებელი ნიშანი
camino
გზა
pradera
მდელო
piedra
ქვა
excursionista
მოგზაური
árbol
ხე
río
მდინარე
hierba
ბალახი
flor
ყვავილი

valle

ხეობა

montaña

გორაკი

lago

ტბა

bosque

ტყე

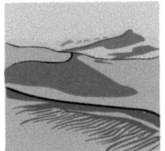

desierto

უდაბნო

volcán

ვულკანი

castillo

ციხე

arco iris

ცისარტყელა

champiñón

სოკო

palmera

პალმა

mosquito

კოღო

mosca

ბუზი

hormiga

ჭიანჭველა

abeja

ფუტკარი

araña

ობობა

escarabajo

ხოჭო

rana

ბაყაყი

ardilla

ციყვი

erizo

ზღარბი

liebre

კურდღელი

lechuza

ბუ

pájaro

ფრინველი

cisne

გედი

jabalí

ტახი

ciervo

ირემი

alce

ცხენ-ირემი

presa

კაშხალი

aerogenerador

ქარის ტურბინა

panel solar

მზის ბატარეა

clima

კლიმატი

restaurante
რესტორანი

mozo
მიმტანი
menú
მენიუ
silla
სკამი
sopa
სუპი
pizza
პიცა
cubiertos
დანა-ჩანგალი
mantel
მაგიდაზე გადასაფარებელი

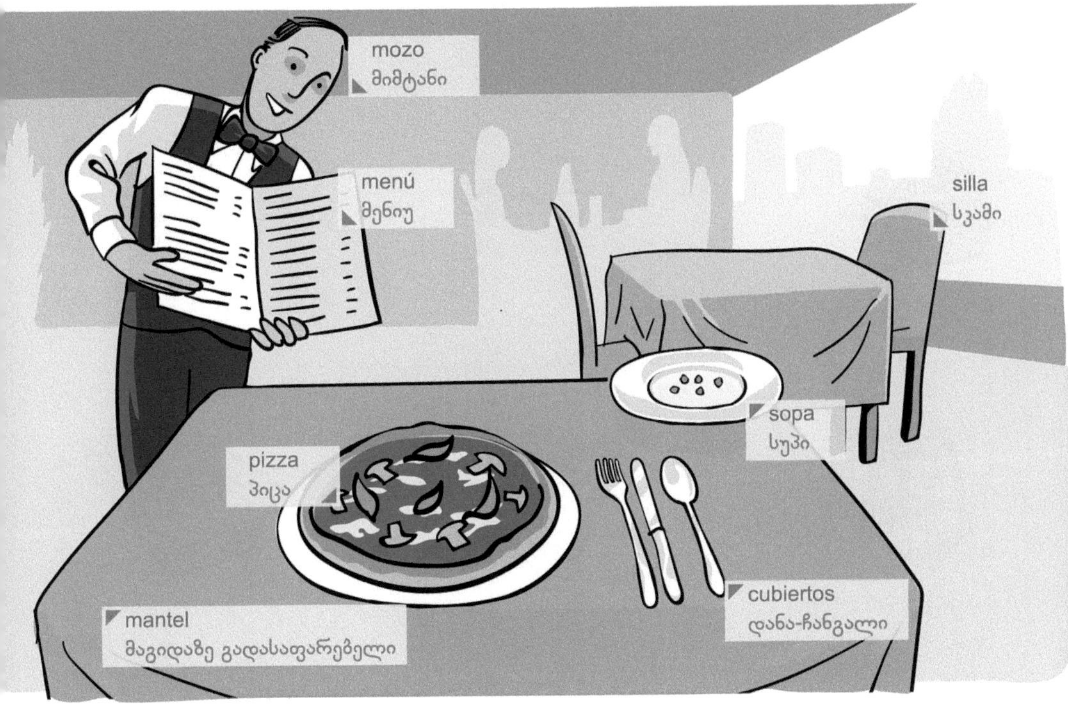

entrada

საუზმე

plato principal

მთავარი კერძი

postre

დესერტი

bebidas

დასალევი

comida

საჭმელი

botella

ბოთლი

comida rápida

სწრაფი კვება

comida callejera

ქუჩის საჭმელი

tetera

ჩაიდანი

azucarera

საშაქრე

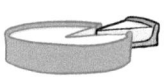

porción

პორცია

cafetera expreso

ესპრესოს მანქანა

sillita alta

მაღალი სკამი

cuenta

ანგარიში

bandeja

ლანგარი

cuchillo

დანა

tenedor

ჩანგალი

cuchara

კოვზი

cucharita

ჩაის კოვზი

servilleta

ხელსახოცი

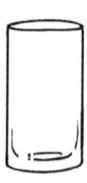

vaso

ჭიქა

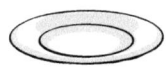

plato

თეფში

plato hondo

სუპის თეფში

plato

ჩაის ლამბაქი

salsa

საწებელი

salero

სამარილე

molinillo de pimienta

წიწაკის საფქვავი

vinagre

ძმარი

aceite

ზეთი

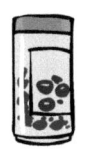

especias

სანელებლები

kétchup

კეტჩუპი

mostaza

მდოგვი

mayonesa

მაიონეზი

supermercado
სუპერმარკეტი

oferta especial
სპეციალური შეთავაზება
cliente
მომხმარებელი
lácteos
რძის ნაწარმი
fruta
ხილი
changuito
ურიკა

carnicería
საყასბო

panadería
საცხობი

pesar
აწონვა

verduras
ბოსტნეული

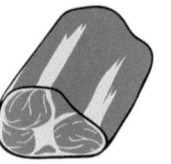

carne
ხორცი

alimentos congelados
გაყინული საკვები

fiambres

გრილი ხორცი

alimentos enlatados

კონსერვები

detergente en polvo

სარეცხი ფხვნილი

golosinas

ტკბილეული

electrodomésticos

საყოფაცხოვრებო
პროდუქტები

productos de limpieza

სარეცხი საშუალებები

vendedora

გამყიდველი

caja

სალარო

cajero

მოლარე

lista de compras

საყიდლების სია

horario de atención

მუშაობის საათები

billetera

პორტმანი

tarjeta de crédito

საკრედიტო ბარათი

cartera

ჩანთა

bolsa de plástico

პლასტიკური პარკი

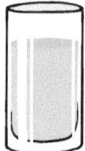

agua

წყალი

jugo

წვენი

leche

რძე

bebida cola

კოკა-კოლა

vino

ღვინო

cerveza

ლუდი

alcohol

ალკოჰოლი

cacao

კაკაო

té

ჩაი

café

ყავა

café expreso

ესპრესო

cappuccino

კაპუჩინო

banana

ბანანი

manzana

ვაშლი

naranja

ფორთოხალი

melón

საზამთრო

limón

ლიმონი

zanahoria

სტაფილო

ajo

ნიორი

bambú

ბამბუკი

cebolla

ხახვი

champiñón

სოკო

nueces

კაკალი

fideos

ატრია

tallarines

სპაგეტი

arroz

ბრინჯი

ensalada

სალათი

papas fritas

ჩიპსები

papas fritas

შემწვარი კარტოფილი

pizza

პიცა

hamburguesa

ჰამბურგერი

sándwich

სენდვიჩი

churrasco

კოტლეტი

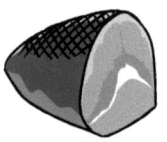

jamón

ლორი

salame

სალიამი

salchicha

ძეხვი

pollo

წიწილა

asado

შემწვარი ხორცი

pescado

თევზი

copos de avena

შვრიის ფაფა

muesli

მუსლი

copos de maíz

სიმინდის ფანტელები

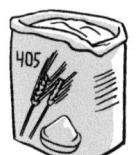

harina

ფქვილი

medialuna

კრუასანი

pancito

ბულკი

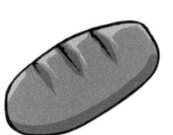

pan

პური

tostada

ტოსტი

galletitas

ნამცხვრები

manteca

კარაქი

cuajada

ხაჭო

torta

ტორტი

huevo

კვერცხი

huevo frito

ერბო-კვერცხი

queso

ყველი

helado

ნაყინი

azúcar

შაქარი

miel

თაფლი

mermelada

ჯემი

pasta de chocolate

შოკოლადის კრემი

curry

კარი

granja
ფერმა

granja
სოფლის სახლი
granero
თავლა
fardo de paja
ჩალის შეკვრა
campo
ყანა
caballo
ცხენი
remolque
მისაბმელი
tractor
ტრაქტორი
potrillo
კვიცი
burro
ვირი
oveja
ცხვარი
cordero
ცხვარი

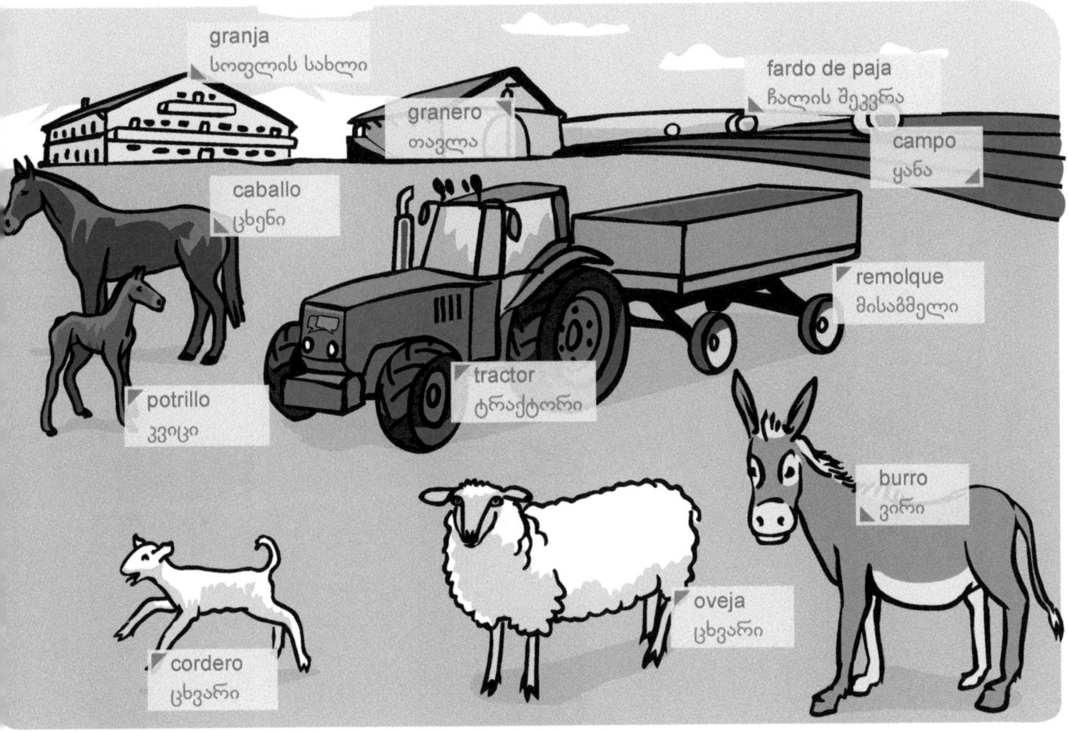

cabra
თხა

vaca
ძროხა

ternero
ხბო

cerdo
ღორი

lechón
გოჭი

toro
ხარი

ganso

ბატი

pato

იხვი

pollo

წიწილა

gallina

ქათამი

gallo

მამალი

rata

ვირთხა

gato

კატა

ratón

თაგვი

buey

ხარი

perro

ძაღლი

cucha

საძაღლე

manguera

ბაღის შლანგი

regadera

საბაღე წურწურა

guadaña

ცელი

arado

გუთანი

hoz

ნამგალი

azada

თოხი

horquilla

პატივის სახვეტი ჩანგალი

hacha

ცული

carretilla

მაზიდი

abrevadero

გობი

lechera

რძის ბიდონი

bolsa

ტომარა

reja

ღობე

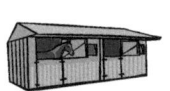

establo

ბოსელი

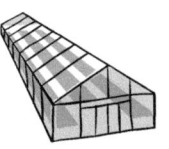

invernadero

სათბური

suelo

ნიადაგი

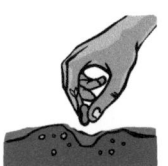

semilla

თესლი

fertilizador

სასუქი

cosechadora

მოსავლის ამღები კომბაინი

cosechar

მოსავლის აღება

cosecha

მოსავალი

batatas

იამი

trigo

ხორბალი

soja

სოიო

papa

კარტოფილი

maíz

სიმინდი

semilla de colza

სარეველას თესლი

árbol frutal

ხეხილი

mandioca

მანიოკი

cereales

მარცვლეული

casa
სახლი

chimenea
ბუხარი
techo
სახურავი
caño de desagüe
წყალსადინარი მილი
ventana
ფანჯარა
garaje
ავტოფარეხი
timbre
კარის ზარი
puerta
კარი
tacho de basura
ნაგვის ყუთი
buzón
საფოსტო ყუთი
jardín
ბაღი

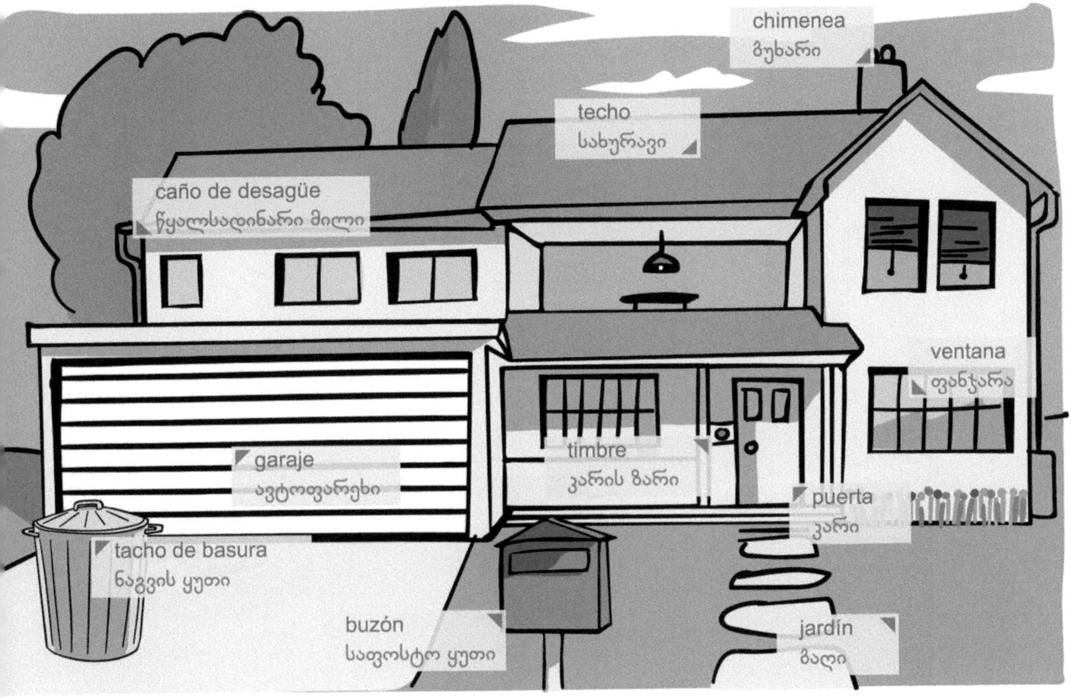

living
მისაღები ოთახი

baño
აბაზანა

cocina
სამზარეულო

dormitorio
საძინებელი

cuarto de los chicos
საბავშვო ოთახი

comedor
სასადილო ოთახი

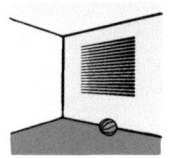

piso

სართული

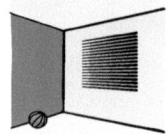

pared

კედელი

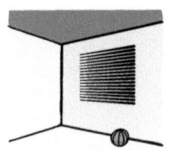

cielorraso

ჭერი

sótano

სარდაფი

sauna

საუნა

balcón

აივანი

terraza

ტერასა

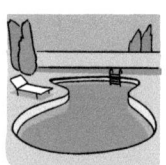

pileta

აუზი

cortadora de pasto

გაზონის საკრეჭი

sábana

საბნის კონვერტი

acolchado

საწოლი

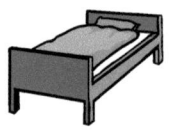

cama

ლოგინი

escoba

ცოცხი

balde

სათლი

interruptor

გადამრთველი

living

მისაღები ოთახი

empapelado
შპალერი
imagen
ნახატი
lámpara
ნათურა
estante
თარო
armario
კარადა
televisión
ტელევიზორი
chimenea
ბუხარი
flor
ყვავილი
almohadón
ბალიში
sofá
დივანი
florero
ვაზა
control remoto
დისტანციური მართვა

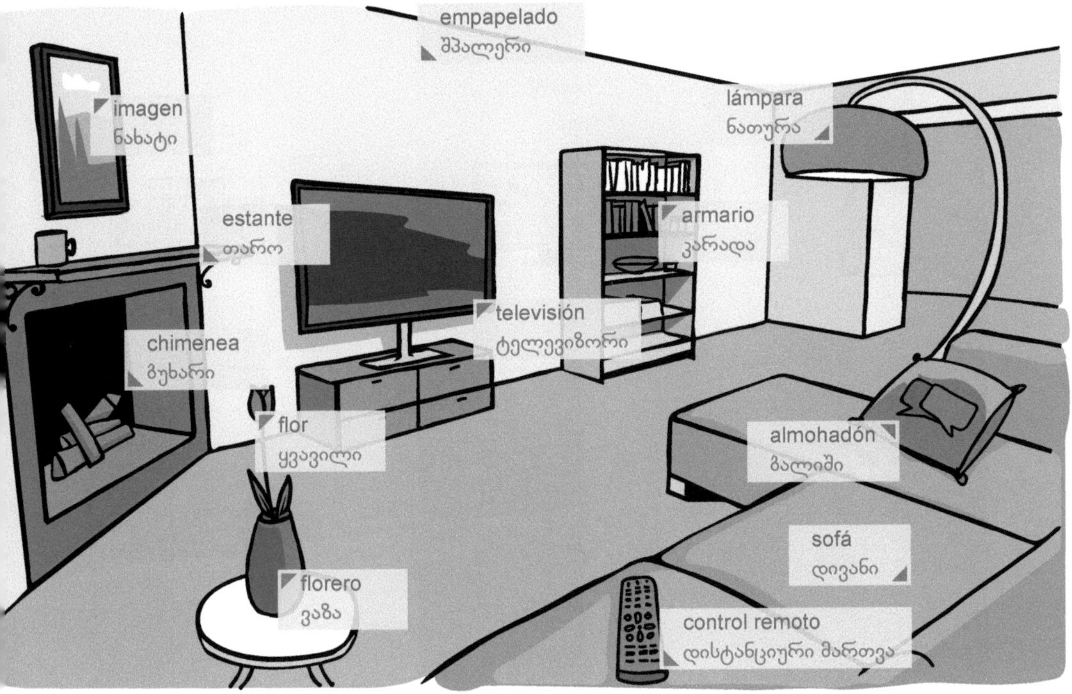

alfombra

ხალიჩა

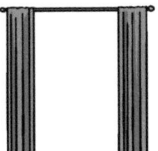

cortina

ფარდა

mesa

მაგიდა

silla

სკამი

mecedora

სარწეველა სკამი

sillón

სავარძელი

libro

წიგნი

frazada

საბანი

decoración

დეკორაცია

leña

შეშა

película

ფილმი

equipo de música

hi-fi მოწყობილობები

llave

გასაღები

diario

გაზეთი

pintura

ფერწერა

póster

პლაკატი

radio

რადიო

cuaderno

ბლოკნოტი

aspiradora

მტვერსასრუტი

cactus

კაქტუსი

vela

სანთელი

34

living - მისაღები ოთახი

cocina

სამზარეულო

heladera
მაცივარი
microondas
მიკრო-ტალღური ღუმელი
balanza de cocina
სამზარეულოს სასწორი
tostadora
ტოსტერი
detergente
სარეცხი საშუალება
horno
ღუმელი
freezer
საყინულე
tacho de basura
ნაგვის ყუთი
lavaplatos
ჭურჭლის სარეცხი მანქანა

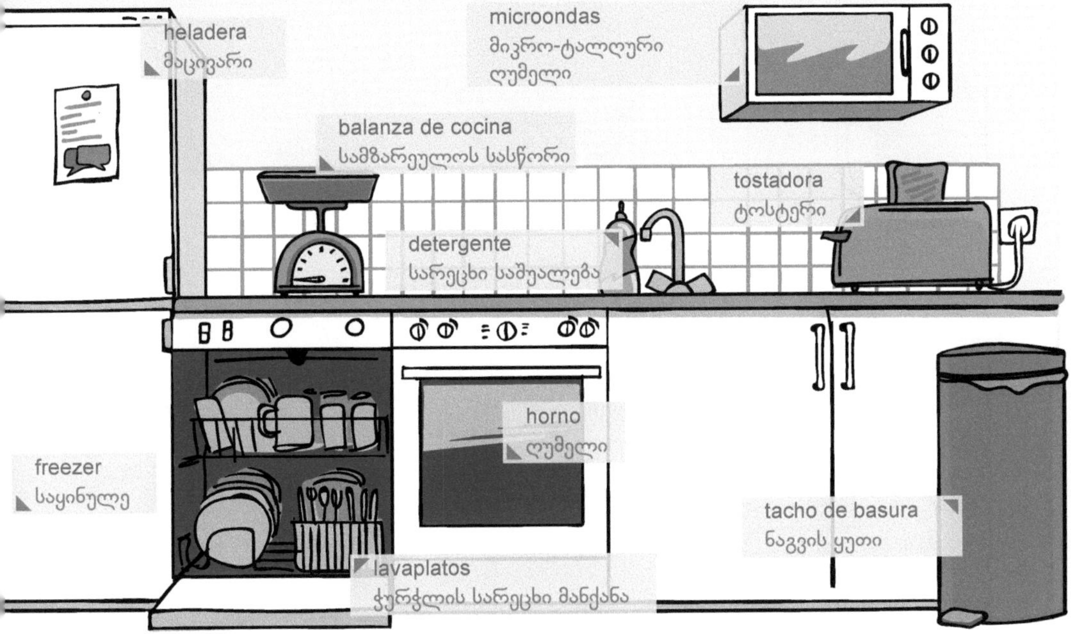

cocina

გაზქურა

olla

ქოთანი

olla de hierro fundido

თუჯის ქვაბი

wok

ტაფა ამოზერილი ფსკერით

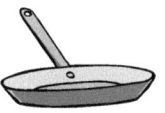

sartén

ტაფა

pava

ჩაიდანი

cocina - სამზარეულო 35

vaporera

ორთქლსახარში

bandeja de horno

საცხობი ლანგარი

vajilla

ჭურჭელი

taza

კათხა

bol

თასი

palitos

ჩინური ჩხირები

cucharón

ჩამჩა

estpátula

ფითხი

batidora

სათქვეფელა

colador

საწური

colador

საცერი

rallador

სახეხი

mortero

სანაყი

parrilla

გრილი

fogata

კოცონი

tabla de picar

დაფა

palo de amasar

საგორავი

sacacorchos

ბურღი

lata

ქილა

abrelatas

ქილის გასახსნელი

manopla

ქოთნის დამჭერი

pileta

ნიჟარა

cepillo

ფუნჯი

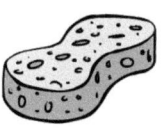

esponja

ღრუბელი

batidora

ბლენდერი

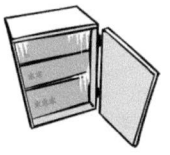

congelador

საყინულე კამერა

mamadera

საბავშვო ბოთლი

canilla

ონკანი

baño
აბაზანა

calefacción
გათბობა

ducha
შხაპი

toalla
პირსახოცი

cortina de ducha
საშხაპე ფარდა

baño de espuma
ღრუბლიანი აბანო

bañadera
ვანა

vaso
ჭიქა

lavarropas
სარეცხი მანქანა

baldosas
ფილები

canilla
ონკანი

pelela
ღამის ქოთანი

pileta
ნიჟარა

inodoro

ტუალეტი

letrina

იატაკის ტუალეტი

bidé

ბიდე

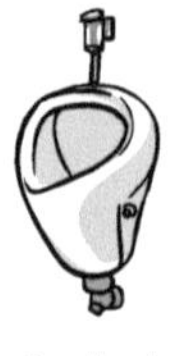

mingitorio

კედლის პისუარი

papel higiénico

ტუალეტის ქაღალდი

cepillo para el inodoro

ტუალეტის ჯაგრისი

cepillo de dientes

კბილის ჯაგრისი

dentífrico

კბილის პასტა

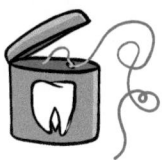

hilo dental

კბილის ძაფი

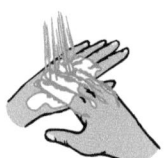

lavar

რეცხვა

ducha de mano

ხელის შხაპი

ducha higiénica

ინტიმური შხაპი

palangana

ტაშტი

cepillo para espalda

ზურგის სახეხი ფუნჯი

jabón

საპონი

gel de ducha

შხაპის გელი

shampoo

შამპუნი

toallita

ნეჭა

desagüe

სანიაღვრე

crema

კრემი

desodorante

დეოდორანტი

espejo

სარკე

espejito

ხელის სარკე

maquinita de afeitar

ბრიტვა

espuma de afeitar

საპარსი ქაფი

aftershave

საშუალება გაპარსვის შემდეგ

peine

სავარცხელი

cepillo

ჯაგრისი

secador de pelo

თმის საშრობი

spray

თმის ლაქი

maquillaje

კოსმეტიკა

lápiz de labios

ტუჩების პომადა

esmalte para uñas

ფრჩხილის ლაქი

algodón

ბამბა

tijera para uñas

ფრჩხილის მაკრატელი

perfume

სუნამო

portacosméticos

კოსმეტიკის ჩანთა

banqueta

ტაბურეტი

balanza

სასწორი

bata

სააბაზანო ხალათი

guantes de goma

რეზინის ხელთათმანები

tampón

ტამპონი

toallita femenina

სანიტარული პირსახოცი

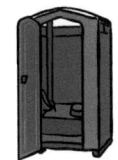

baño químico

ბიო-ტუალეტი

cuarto de los chicos
საბავშვო ოთახი

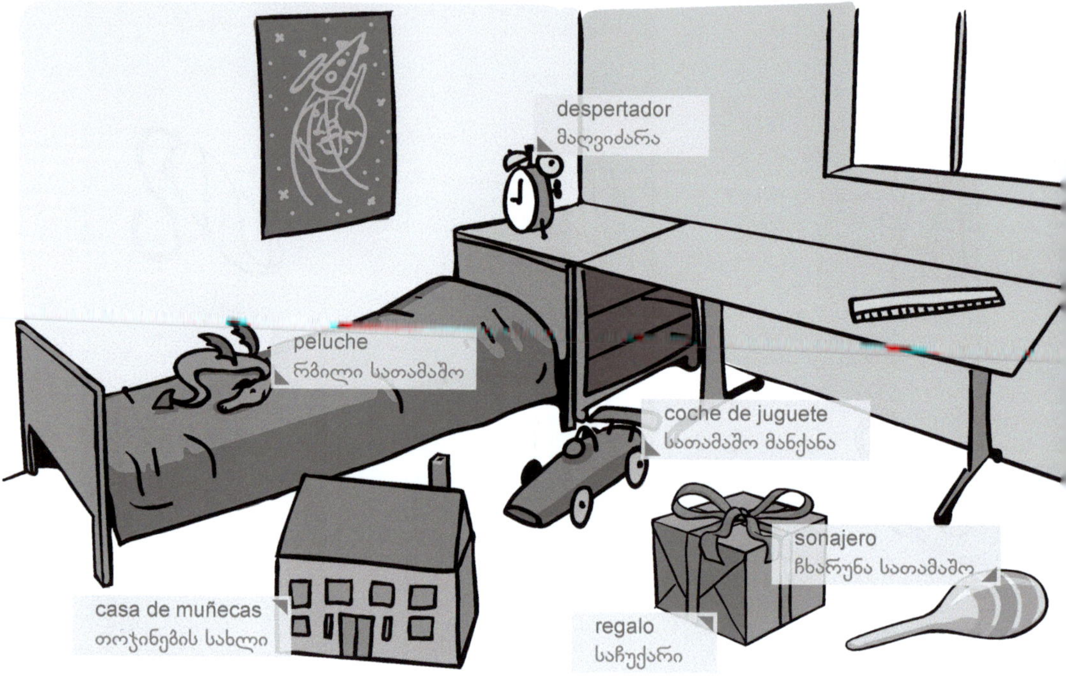

despertador
მაღვიძარა
peluche
რბილი სათამაშო
coche de juguete
სათამაშო მანქანა
sonajero
ჩხარუნა სათამაშო
casa de muñecas
თოჯინების სახლი
regalo
საჩუქარი

globo

ბუშტი

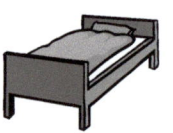

cama

ლოგინი

cochecito

საბავშვო ეტლი

cartas

კარტის თამაში

rompecabezas

პაზლი

historieta

კომიკსი

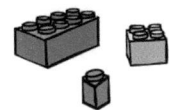

piezas de lego

ლეგოს აგურები

ladrillos de juguete

ასაშენებელი კუბიკები

figura de acción

სათამაშო ფიგურა

enterito (de bebé)

საცოცავი

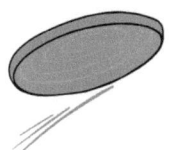

frisbee

ფრისბი

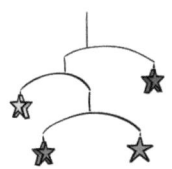

móvil para bebés

მობილე

juego de mesa

სამაგიდო თამაში

dados

კამათელი

tren eléctrico

რკინიგზის მოდელი

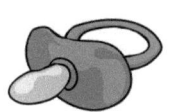

chupete

საწოვარა

fiesta

წვეულება

libro de cuentos ilustrado

წიგნი ნახატებით

pelota

ბურთი

muñeca

თოჯინა

jugar

თამაში

arenero

საქვიშარი

hamaca

საქანელა

juguetes

სათამაშოები

consola de videojuegos

ვიდეო თამაშის კონსოლი

triciclo

სამთვლიანი ველოსიპედი

osito de peluche

დათუნია

armario

გარდერობი

ropa

ტანსაცმელი

medias

წინდები

medias panty

ჩულქები

calzas

კოლგოტები

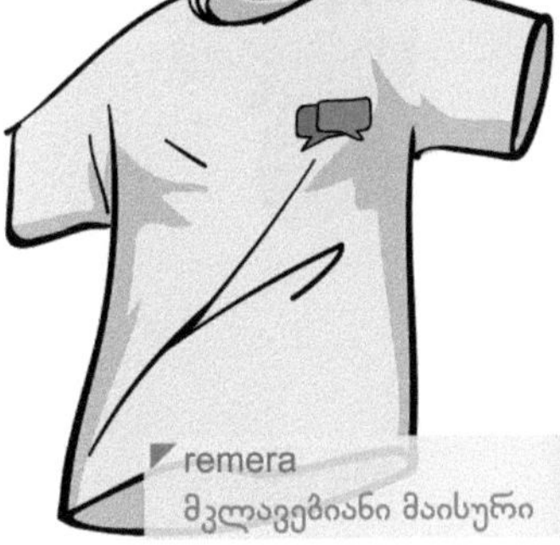

bufanda
შარფი

paraguas
ქოლგა

remera
მკლავებიანი მაისური

cinturón
ქამარი

zapatillas
ბოტასები

botas
ფეხსაცმელი

pantuflas
ჩუსტები

sandalias

სანდლები

zapatos

ფეხსაცმელი

botas de goma

რეზინის ჩექმები

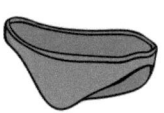

ropa interior

ტრუსები

corpiño

ბიუსჰალტერი

chaleco

მაისური

body

სხეული

pantalones

შარვალი

jeans

ჯინსი

pollera

ქვედაკაბა

blusa

ბლუზი

camisa

პერანგი

pulóver

სვიტრი

buzo

კაპიუშონიანი ჟაკეტი

blazer

სპორტული ქურთუკი

campera

ჟაკეტი

tapado

პალტო

piloto

საწვიმარი

traje

კოსტუმი

vestido

კაბა

vestido de novia

საქორწილო კაბა

ropa - ტანსაცმელი

traje

კაცის კოსტიუმი

camisón

ღამის პერანგი

pijama

პიჟამოები

sari

სარი

pañuelo para cabeza

თავშალი

turbante

ტურბანი

burka

ჩადრი

caftán

ხიფთანი

abaya

აბაია

traje de baño

საცურაო კოსტუმი

short de baño

ჩემოდნები

shorts

შორტები

jogging

სპორტული კოსტიუმი

delantal

წინსაფარი

guantes

ხელთათმანები

botón

ღილი

anteojos

სათვალეები

pulsera

სამაჯური

collar

ყელსაბამი

anillo

ბეჭედი

aro

საყურე

gorra

კეპი

percha

საკიდი

sombrero

ქუდი

corbata

ჰალსტუხი

cierre

ელვა-შესაკრავის შეკვრა

casco

ჩაფხუტი

tiradores

აჭიმი

uniforme escolar

სკოლის ფორმა

uniforme

ფორმა

babero

ბავშვის წინსაფარი

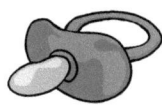

chupete

საწოვარა

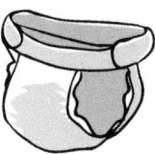

pañal

პამპერსი

servidor
სერვერი

archivero
საკანცელარიო კარადა

impresora
...ტერი

papel
ქაღალდი

monitor
მონიტორი

escritorio
მაგიდა

mouse
თაგვი

teclado
...ატურა

cho (de basura)
ლათა ნარჩენი ქაღალდებისათვის

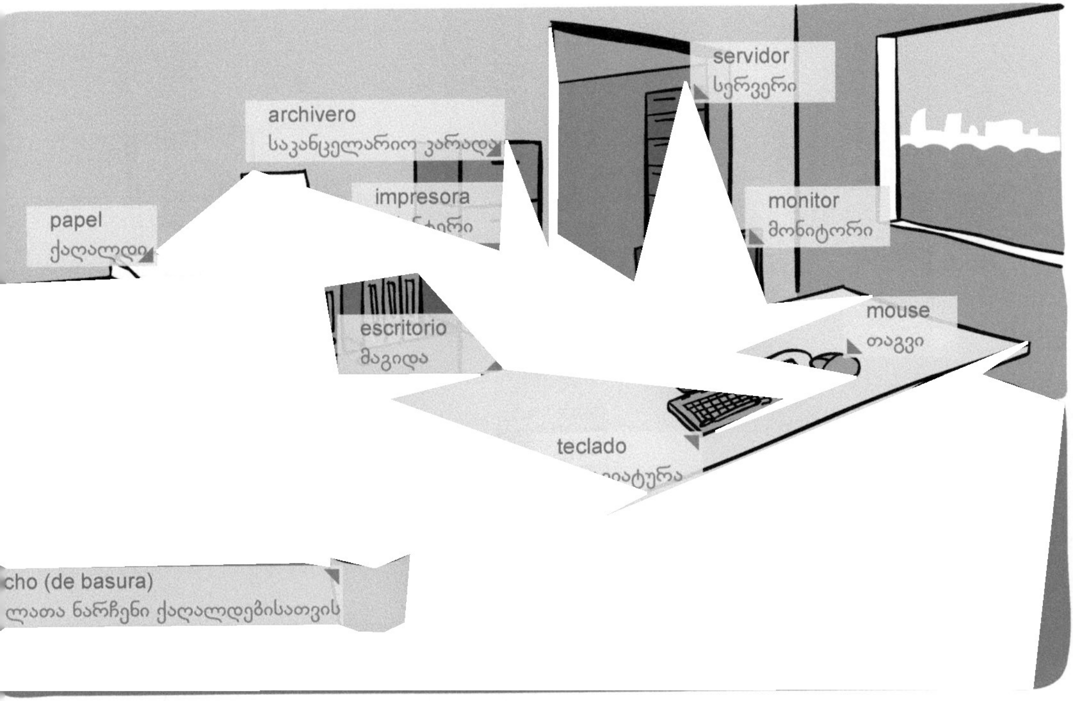

taza de café

ყავის ფინჯანი

calculadora

კალკულატორი

internet

ინტერნეტი

laptop

ლეპტოპი

carta

წერილი

mensaje

მესიჯი

celular

მობილური ტელეფონი

red

ქსელი

fotocopiadora

სკანერი

software

პროგრამული
უზრუნველყოფა

teléfono

ტელეფონი

tomacorriente

როზეტი

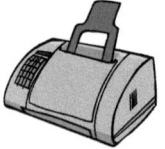

fax

ფაქსის მანქანა

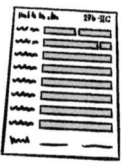

formulario

ფორმულარი

documento

დოკუმენტი

comprar

ყიდვა

pagar

გადახდა

hacer negocios

ვაჭრობა

dinero

ფული

dólar

დოლარი

euro

ევრო

yen

იენი

rublo

რუბლი

franco suizo

შვეიცარული ფრანკი

yuan

ჟენმინბი იუანი

rupia

რუპი

cajero automático

ბანკომატი

casa de cambio

ვალუტის გადაცვლის პუნქტი

oro

ოქრო

plata

ვერცხლი

petróleo

ნავთობი

energía

ენერგია

precio

ფასი

contrato

ხელშეკრულება

impuesto

გადასახადი

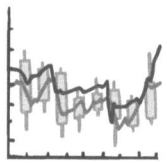

acción

აქცია

trabajar

მუშაობა

empleado

თანამშრომელი

empleador

დამსაქმებელი

fábrica

ქარხანა

negocio

მაღაზია

policía
პოლიციის ოფიცერი
bombero
მეხანძრე
cocinero
მზარეული
médico
ექიმი
piloto
მფრინავი

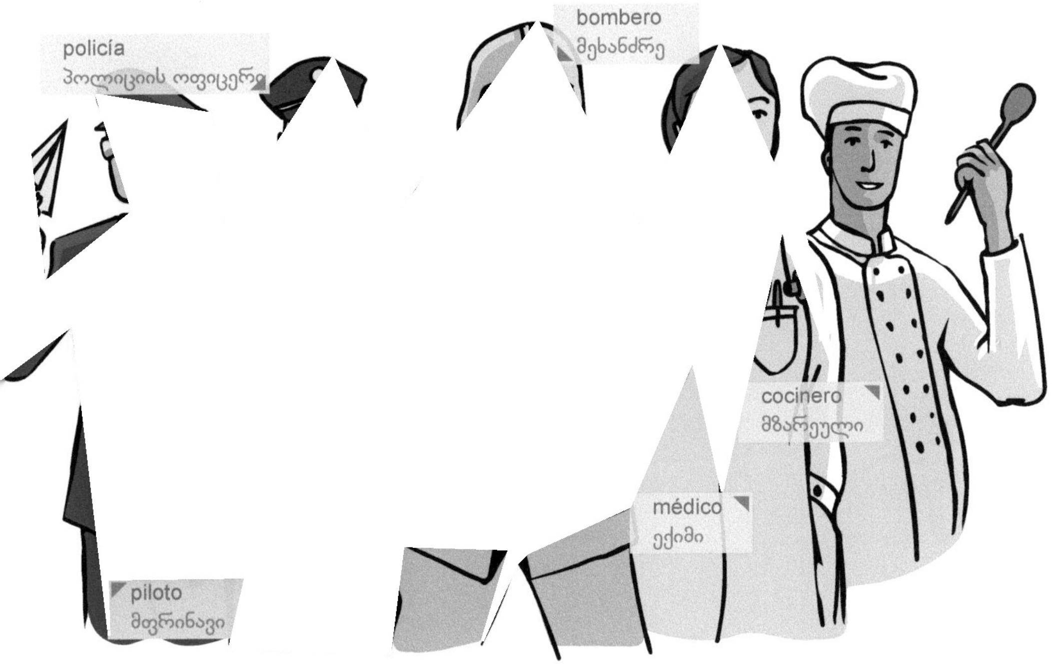

jardinero

მებაღე

carpintero

დურგალი

modista

თეთრეულის მკერავი ქალბატონი

juez

მოსამართლე

farmacéutico

ქიმიკოსი

actor

მსახიობი

colectivero
ავტობუსის მძღოლი

taxista
ტაქსის მძღოლი

pescador
მეთევზე

mucama
დამლაგებელი ქალბატონი

techista
სახურავის ოსტატი

mozo
მიმტანი

cazador
მონადირე

pintor
ფერმწერი

panadero
მცხობელი

electricista
ელექტრიკოსი

albañil
მშენებელი

ingeniero
ინჟინერი

carnicero
ყასაბი

plomero
სანტექნიკოსი

cartero
ფოსტალიონი

soldado

ჯარისკაცი

arquitecto

არქიტექტორი

cajero

მოლარე

florista

ფლორისტი

peluquero

პარიკმახერი

cobrador

კონდუქტორი

mecánico

მექანიკოსი

capitán

კაპიტანი

dentista

სტომატოლოგი

científico

მეცნიერი

rabino

რაბინი

imán

იმამი

monje

ბერი

sacerdote

სასულიერო პირი

იარაღები

martillo
ჩაქუჩი
tenaza
ბრტყელტუჩა
destornillador
სახრახნისი
llave
ქანჩის გასაღები
linterna
ჯიბის სანათი

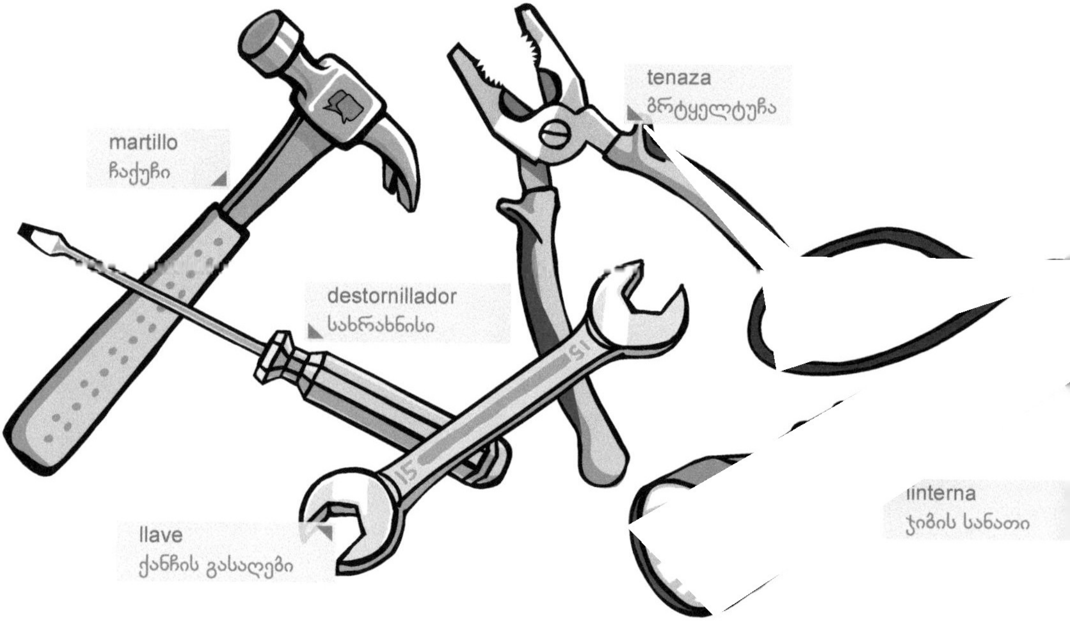

excavadora

ექსკავატორი

caja de herramientas

იარაღების ყუთი

escalera portátil

კიბე

sierra

ხერხი

clavos

ლურსმები

taladro

საბურღი

arreglar

შეკეთება

pala de jardín

ნიჩაბი

¡Qué bronca!

ანდაბა!

pala de plástico

აქანდაზი

tacho de pintura

საღებავის ქოთანი

tornillos

ხრახნები

მუსიკალური ინსტრუმენტები

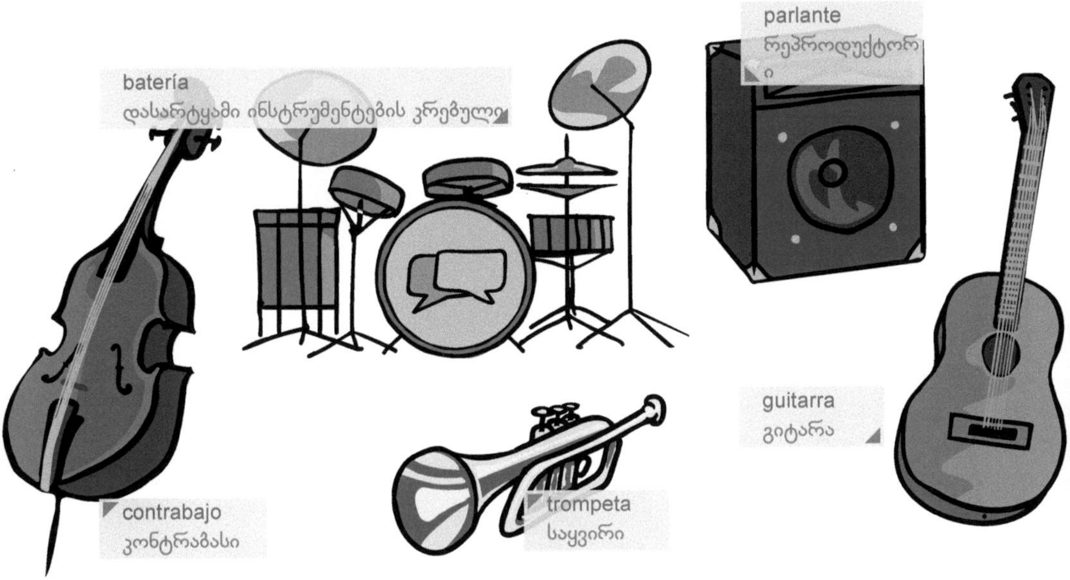

batería
დასარტყამი ინსტრუმენტების კრებული

parlante
რეპროდუქტორი

contrabajo
კონტრაბასი

trompeta
საყვირი

guitarra
გიტარა

piano

ფორტეპიანო

violín

ვიოლინო

bajo

ბასი

timbales

ტიმპანონი

tambor

დასარტყამები

teclado

კლავიშები

saxofón

საქსოფონი

flauta

ფლეიტა

micrófono

მიკროფონი

entrada
შესასვლელი
tigre
ვეფხვი
jaula
გალია
cebra
ზებრა
alimento para animales
ცხოველთა საკვები
oso panda
პანდა

animales
....
ცხოველები

elefante
....
სპილო

canguro
....
კენგურუ

rinoceronte
....
მარტორქა

gorila
....
გორილა

oso
....
დათვი

camello
აქლემი

avestruz
სირაქლემა

león
ლომი

mono
მაიმუნი

flamenco
ფლამინგო

loro
თუთიყუში

oso polar
პოლარული დათვი

pingüino
პინგვინი

tiburón
ზვიგენი

pavo real
ფარშევანგი

serpiente
გველი

cocodrilo
ნიანგი

cuidador del zoológico
ზოოპარკის მფლობელი

foca
სელაპი

jaguar
იაგუარი

poni

პონი

leopardo

ლეოპარდი

hipopótamo

ბეჰემოტი

jirafa

ჟირაფი

águila

არწივი

jabalí

ტახი

pescado

თევზი

tortuga

კუ

morsa

მორჟი

zorro

მელა

gacela

გაზელი

fútbol americano
ამერიკული ფეხბურთი

ciclismo
ველოსპორტი

tenis
ჩოგბურთი

básquet
კალათბურთი

natación
ცურვა

boxeo
კრივი

hockey sobre hielo
ყინულის ჰოკეი

fútbol
ფეხბურთი

bádminton
ბადმინტონი

atletismo
მძლეოსნობა

handball
ხელბურთი

esquí
სათხილამურო სპორტი

polo
წყლის პოლო

reír
დაცინვა

saltar
გადახტომა

abrazar
ჩახუტება

caminar
სეირნობა

cantar
სიმღერა

soñar
ოცნებობა

rezar
ლოცვა

besar
კოცნა

escribir
წერა

dibujar
დახატვა

mostrar
ჩვენება

presionar
დაჭერა

dar
მიცემა

tomar
აღება

tener

ქონა

hacer

კეთება

ser

ყოფნა

estar parado

დგომა

correr

გარბენა

tirar

მოქაჩვა

tirar

გადაყრა

caer

დაცემა

estar acostado

ტყუილის თქმა

esperar

მოცდენა

llevar

ტარება

estar sentado

ჯდომა

vestirse

ჩაცმა

dormir

ძილი

despertar

გაღვიძება

mirar

დათვალიერება

llorar

ტირილი

acariciar

გაუთოება

peinar

დავარცხნა

hablar

ლაპარაკი

entender

გაგება

preguntar

შეკითხვა

escuchar

მოსმენა

beber

დალევა

comer

ჭამა

ordenar

დალაგება

amar

ყვარება

cocinar

კერძების მზადება

manejar

სვლა

volar

ფრენა

navegar

აფრის ქვეშ სიარული

calcular

გამოთვლა

leer

წაკითხვა

aprender

შესწავლა

trabajar

მუშაობა

casarse

ქორწინება

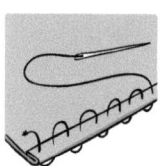

coser

კერვა

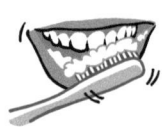

cepillarse los dientes

კბილების ხეხვა

matar

მოკვლა

fumar

მოწევა

enviar

გაგზავნა

abuela
ბებია

abuelo
ბაბუა

padre
მამა

madre
დედა

bebé
ბაგშვი

hija
ქალიშვილი

hijo
ვაჟიშვილი

invitado

სტუმარი

tía

დეიდა

tío

ბიძა

hermano

ძმა

hermana

და

სხეული

frente
შუბლი
ojo
თვალი
cara
სახე
pera
ნიკაპი
dedo
თითი
mano
ხელი
hombro
მხარი
pecho
მკერდი
brazo
მკლავი
pierna
ფეხი

bebé

გავშვი

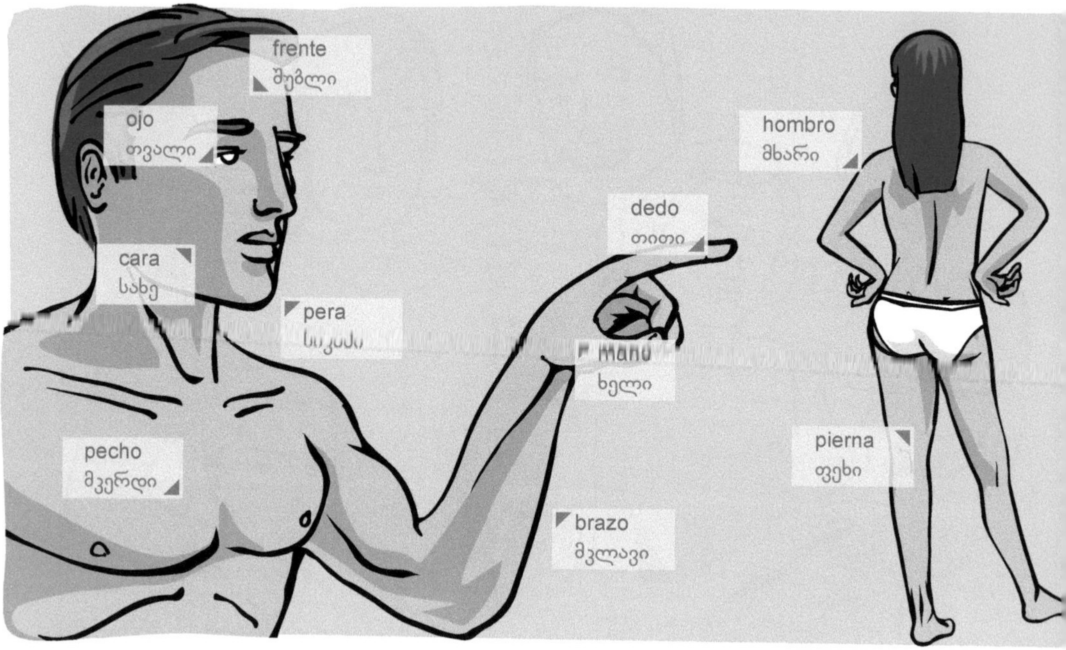

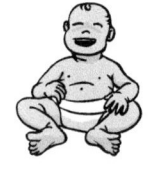

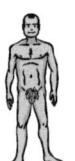

hombre

კაცი

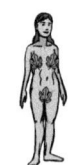

mujer

ქალი

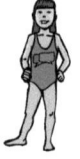

nena

გოგო

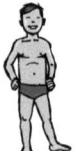

nene

ბიჭი

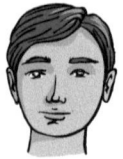

cabeza

თავი

espalda

ზურგი

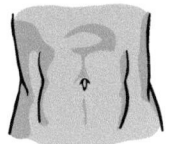

panza

მუცელი

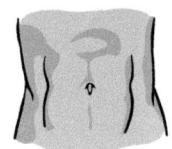

ombligo

ჭიპი

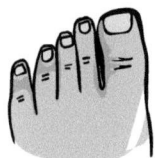

dedo del pie

ფეხის თითი

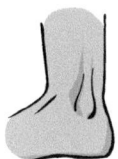

talón

ქუსლი

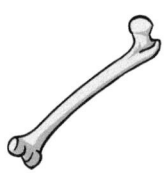

hueso

ძვალი

cadera

ბარძაყი

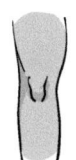

rodilla

მუხლი

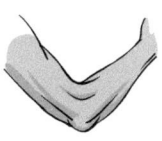

codo

იდაყვი

nariz

ცხვირი

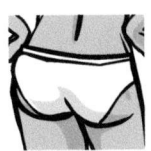

cola

დუნდულა

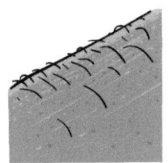

piel

კანი

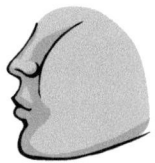

cachete

ლოყა

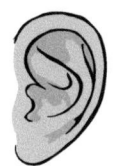

oreja

ყური

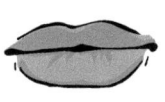

labio

ტუჩი

boca

პირი

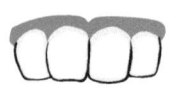

diente

კბილი

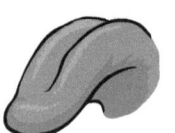

lengua

ენა

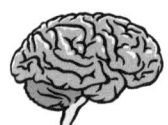

cerebro

ტვინი

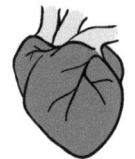

corazón

გული

músculo

კუნთი

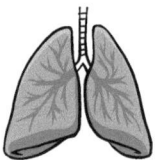

pulmón

ფილტვი

hígado

ღვიძლი

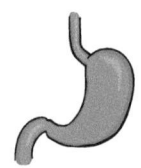

estómago

კუჭი

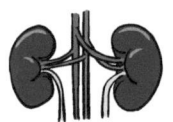

riñones

თირკმელები

sexo

სექსი

preservativo

პრეზერვატივი

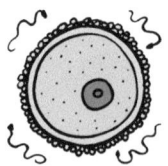

óvulo

კვერცხუჯრედი

semen

სპერმა

embarazo

ორსულობა

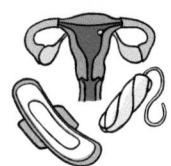

menstruación

მენსტრუაცია

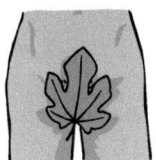

vagina

საშო

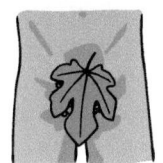

pene

პენისი

ceja

წარბი

pelo

თმა

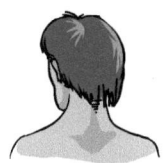

cuello

კისერი

საავადმყოფო

hospital
de ruedas
fractura
მოტეხილობა

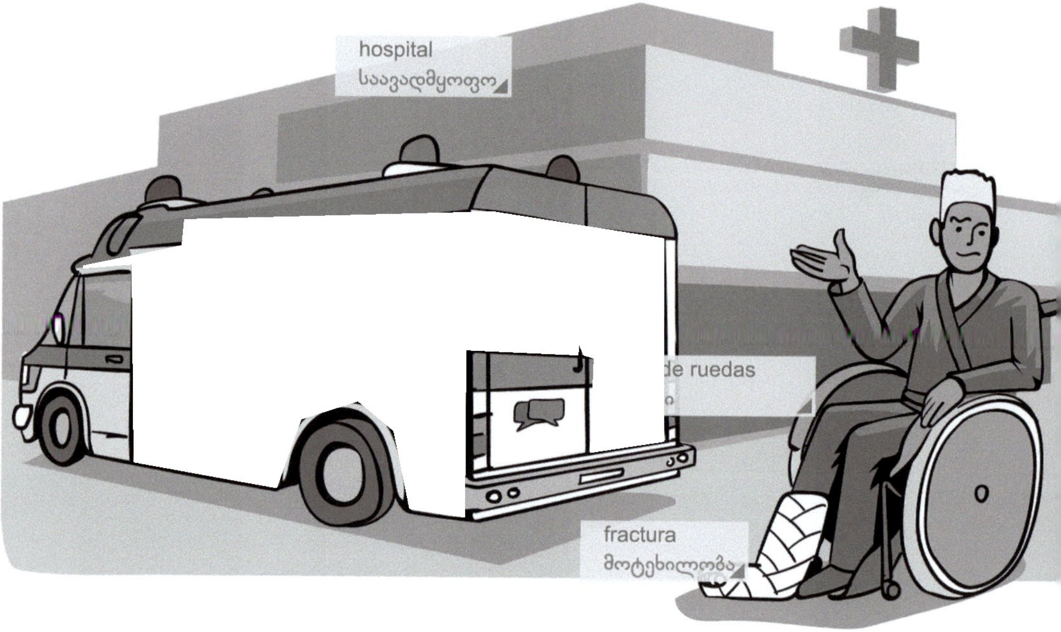

médico

ექიმი

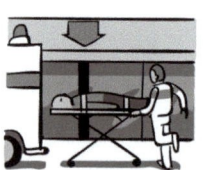

sala de guardia

პირველი დახმარების ოთახი

enfermera

მედდა

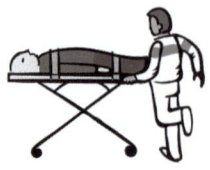

emergencia

გადაუდებელი შემთხვევა

inconsciente

უგონოდ მყოფი

dolor

ტკივილი

lesión

დაზიანება

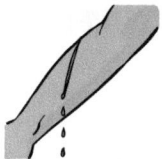

hemorragia

სისხლდენა

infarto

გულის შეტევა

ACV

ინსულტი

alergia

ალერგია

tos

ხველა

fiebre

ცხელება

gripe

გრიპი

diarrea

დიარეა

dolor de cabeza

თავის ტკივილი

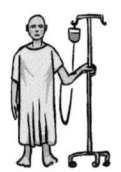

cáncer

კიბო

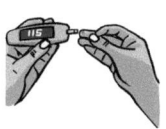

diabetes

დიაბეტი

cirujano

ქირურგი

bisturí

სკალპელი

operación

ოპერაცია

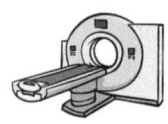

TC

კტ

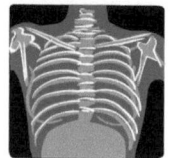

rayos x

რენტგენი

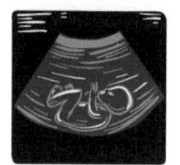

ecografía

ულტრაბგერა

barbijo

ნიღაბი

enfermedad

დაავადება

sala de espera

[illegible]

muleta

ყავარჯენი

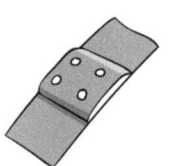

curita

თაბაშირი

venda

ბინტი

inyección

ინექცია

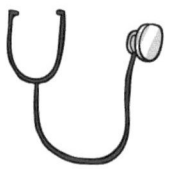

estetoscopio

სტეტოსკოპი

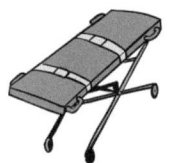

camilla

საკაცე

termómetro

თერმომეტრი

nacimiento

დაბადება

sobrepeso

ჭარბი წონა

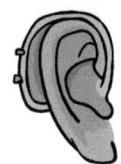

audífono

სმენის აპარატი

desinfectante

სადეზინფექციო საშუალება

infección

ინფექცია

virus

ვირუსი

VIH / SIDA

აივ / შიდსი

remedio

წამალი

vacunación

ვაქცინაცია

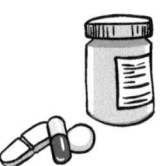

comprimidos

ტაბლეტები

pastilla anticonceptiva

აბი

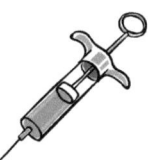

llamada de emergencia

გადაუდებელი გამოძახება

tensiómetro

წნევის საზომი აპარატი

enfermo / sano

ავადმყოფი / ჯანმრთელი

¡Ayuda!

დამეხმარეთ!

alarma

განგაში

agresión

თავდასხმა

ataque

შეტევა

peligro

საფრთხე

salida de emergencia

სათადარიგო გასასვლელი

¡Fuego!

ხანძარი!

matafuego

ცეცხლსაქრობი

accidente

უბედური შემთხვევა

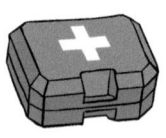

botiquín de primeros auxilios

პირველადი დახმარების აფთიაქი

SOS

SOS

policía

პოლიცია

Europa

ევროპა

América del Norte

ჩრდილოეთ ამერიკა

América del Sur

სამხრეთ ამერიკა

África

აფრიკა

Asia

აზია

Australia

ავსტრალია

Atlántico

ატლანტიკა

Pacífico

წყნარი ოკეანე

Océano Índico

ინდოეთის ოკეანე

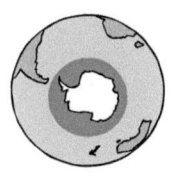

Océano Antártico

ანტარქტიკის ოკეანე

Océano Ártico

ჩრდილოეთის ყინულოვანი
ოკეანე

polo norte

ჩრდილოეთ პოლუსი

polo sur

სამხრეთ პოლუსი

Antártida

ანტარქტიდა

Tierra

დედამიწა

tierra

ხმელეთი

mar

ზღვა

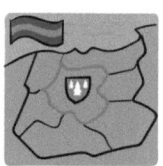

isla

კუნძული

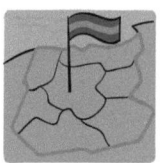

nación

ერი

estado

სახელმწიფო

საათი

esfera

ციფერბლატი

manecilla de las horas

საათების ისარი

minutero

წუთების ისარი

segundero

წამების ისარი

¿Qué hora es?

რომელი საათია?

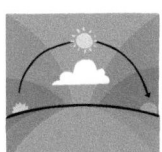

día

დღე

hora

დრო

ahora

ახლა

reloj digital

ციფრული საათი

minuto

წუთი

hora

საათი

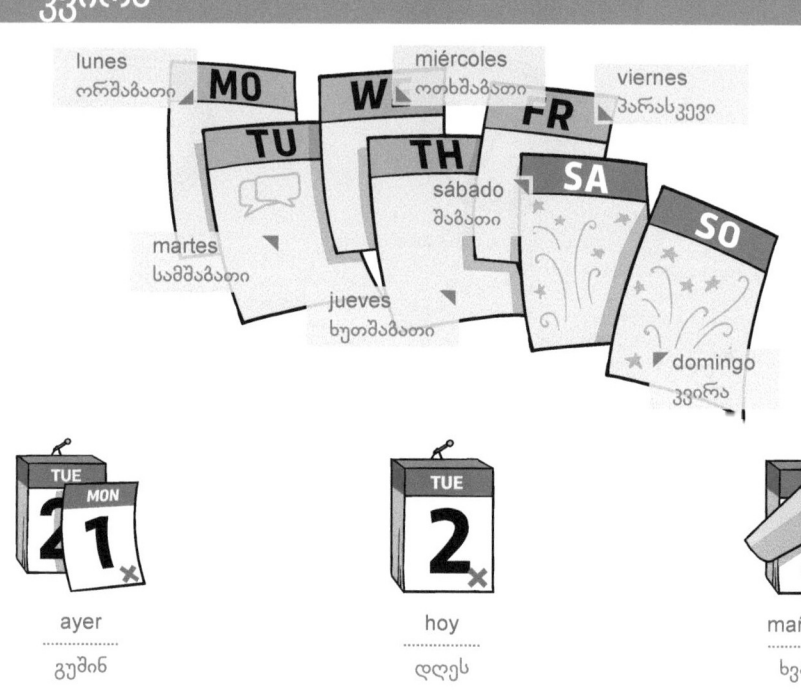

lunes
ორშაბათი

MO

TU

martes
სამშაბათი

W

miércoles
ოთხშაბათი

TH

jueves
ხუთშაბათი

sábado
შაბათი

FR

viernes
პარასკევი

SA

SO

domingo
კვირა

ayer
გუშინ

hoy
დღეს

mañana
ხვალ

mañana
დილა

mediodía
შუადღე

tarde
საღამო

MO	TU	WE	TH	FR	SA	SU
1	2	3	4	5	6	7
8	9	10	11	12	13	14
15	16	17	18	19	20	21
22	23	24	25	26	27	28
29	30	31	1	2	3	4

días hábiles
სამუშაო დღეები

MO	TU	WE	TH	FR	SA	SU
1	2	3	4	5	6	7
8	9	10	11	12	13	14
15	16	17	18	19	20	21
22	23	24	25	26	27	28
29	30	31	1	2	3	4

fin de semana
შაბათი-კვირა

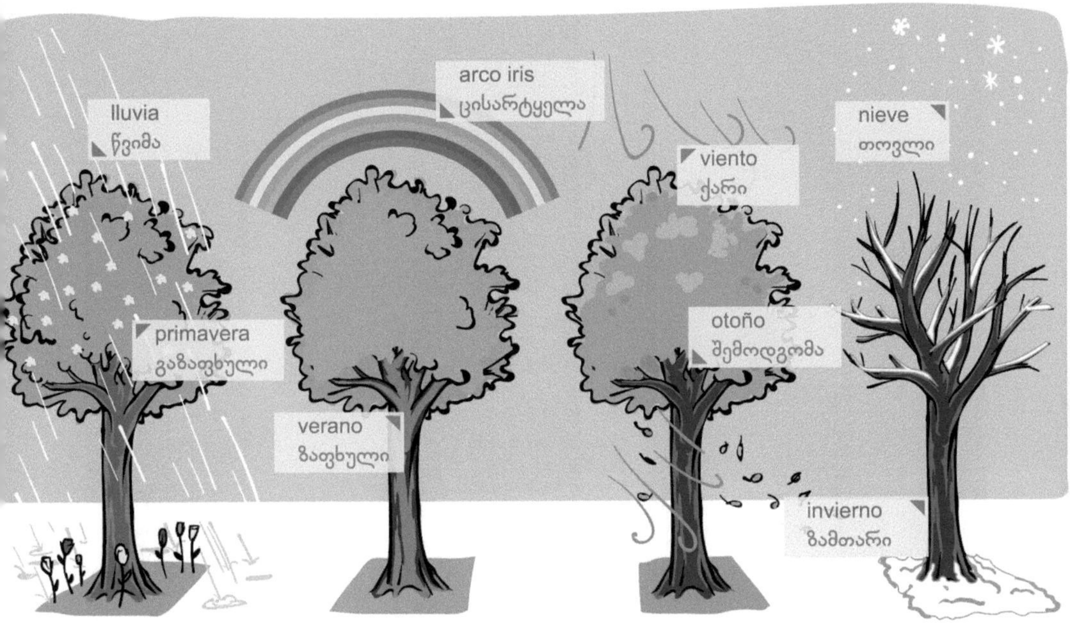

lluvia
წვიმა
arco iris
ცისარტყელა
viento
ქარი
nieve
თოვლი
primavera
გაზაფხული
verano
ზაფხული
otoño
შემოდგომა
invierno
ზამთარი

4.APRIL 11°
5.APRIL 4°
6.APRIL 13°
7.APRIL 8°
8.APRIL 10°

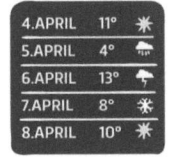

pronóstico meteorológico

ამინდის პროგნოზი

F C
120 40
90 30
60 20
30 10
0 0
-30 -10
-20

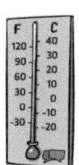

termómetro

თერმომეტრი

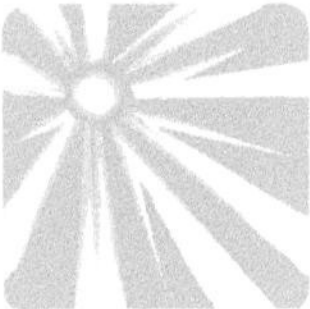

luz del sol

მზის სხივი

nube

ღრუბელი

niebla

ნისლი

humedad

ტენიანობა

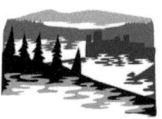

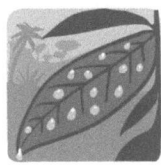

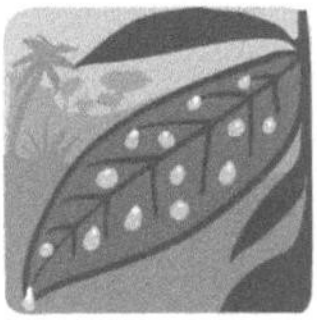

rayo

ელვა

trueno

ქუხილი

tormenta

შტორმი

granizo

სეტყვა

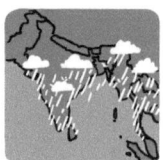

monzón

მუსონი

inundación

წყალდიდობა

hielo

ყინული

enero

იანვარი

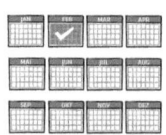

febrero

თებერვალი

marzo

მარტი

abril

აპრილი

mayo

მაისი

junio

ივნისი

julio

ივლისი

agosto

აგვისტო

año - წელი

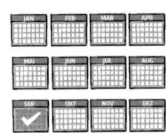

septiembre

სექტემბერი

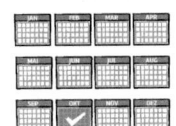

octubre

ოქტომბერი

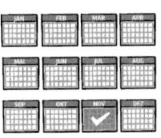

noviembre

ნოემბერი

diciembre

დეკემბერი

ფორმები

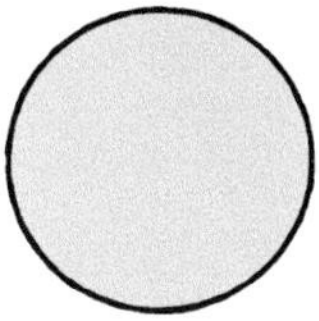

círculo

წრე

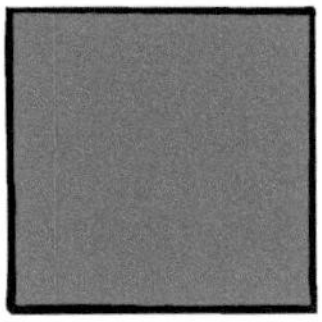

cuadrado

კვადრატი

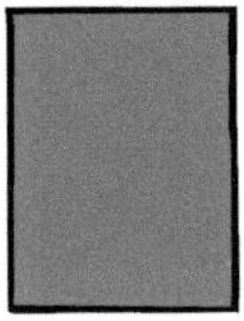

rectángulo

მართკუთხედი

triángulo

სამკუთხედი

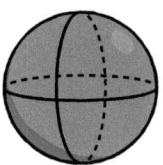

esfera

სფერო

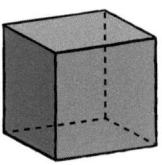

cubo

კუბი

ფერები

blanco

თეთრი

amarillo

ყვითელი

naranja

ნარინჯისფერი

rosa

ვარდისფერი

rojo

წითელი

violeta

იისფერი

azul

ცისფერი

verde

მწვანე

marrón

ყავისფერი

gris

ნაცრისფერი

negro

შავი

mucho / poco

ბევრი / ცოტა

enojado / tranquilo

გაბრაზებული / მშვიდი

lindo / feo

ლამაზი / მახინჯი

principio / fin

დასაწყისი / დასასრული

grande / chico

დიდი / პატარა

claro / oscuro

ნათელი / მუქი

hermano / hermana

ძმა / და

limpio / sucio

სუფთა / ჭუჭყიანი

completo / incompleto

სრული / არასრული

día / noche

დღე / ღამე

muerto / vivo

მკვდარი / ცოცხალი

ancho / angosto

განიერი / ვიწრო

comestible / no comestible

საჭმელად ვარგისი / საჭმელად უვარგისი

malo / amable

ბოროტი / კეთილი

entusiasmado / aburrido

შთამბეჭდავი / მოსაწყენი

gordo / flaco

სქელი / თხელი

primero / último

პირველი / ბოლო

amigo / enemigo

მეგობარი / მტერი

lleno / vacío

სრული / ცარიელი

duro / blando

მყარი / რბილი

pesado / liviano

მძიმე / მსუბუქი

hambre / sed

მოშიებული / მწყურვალე

enfermo / sano

ავადმყოფი / ჯანმრთელი

ilegal / legal

არალეგალური / ლეგალური

inteligente / estúpido

ინტელექტუალი / სულელი

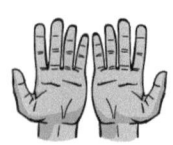

izquierda / derecha

მარცხენა / მარჯვენა

cerca / lejos

ახლოს / შორს

nuevo / usado

ახალი / გამოყენებული

nada / algo

არაფერი / რაღაცა

viejo / joven

მოხუცი / ახალგაზრდა

encendido / apagado

ჩართვა / გამორთვა

abierto / cerrado

ღია / დახურული

silencioso / ruidoso

ჩუმი / ხმამაღალი

rico / pobre

მდიდარი / ღარიბი

correcto / incorrecto

მართალი / მტყვანი

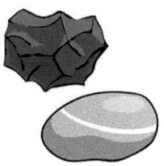

áspero / suave

უხეში / გლუვი

triste / contento

სევდიანი / ბედნიერი

corto / largo

მოკლე / გრძელი

lento / rápido

ნელი / სწრაფი

mojado / seco

სველი / მშრალი

caliente / frío

თბილი / გრილი

guerra / paz

ომი / მშვიდობა

0	1	2
cero	uno	dos
ნული	ერთი	ორი
3	4	5
tres	cuatro	cinco
სამი	ოთხი	ხუთი
6	7	8
seis	siete	ocho
ექვსი	შვიდი	რვა
9	10	11
nueve	diez	once
ცხრა	ათი	თერთმეტი

12

doce

თორმეტი

13

trece

ცამეტი

14

catorce

თოთხმეტი

15

quince

თხუთმეტი

16

dieciséis

თექვსმეტი

17

diecisiete

ჩვიდმეტი

18

dieciocho

თვრამეტი

19

diecinueve

ცხრამეტი

20

veinte

ოცი

100

cien

ასი

1.000

mil

ათასი

1.000.000

millón

მილიონი

inglés

ინგლისური

inglés americano

ამერიკული ინგლისური

chino mandarín

ჩინური მანდარინი

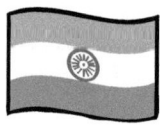

hindi

ჰინდი

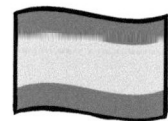

español

ესპანური

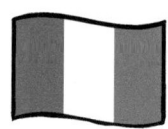

francés

ფრანგული

árabe

არაბული

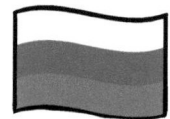

ruso

რუსული

portugués

პორტუგალიური

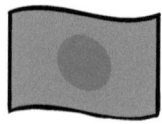

bengalí

ბენგალური

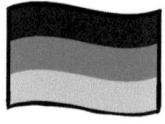

alemán

გერმანული

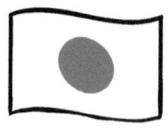

japonés

იაპონური

yo

მე

vos

შენ

♂ ♀ o

él / ella

ის / ის / იგი

nosotros

ჩვენ

ustedes

თქვენ

ellos

ისინი

¿quién?

ვინ?

¿qué?

რა?

¿cómo?

როგორ?

¿dónde?

სად?

¿cuándo?

როდის?

HELLO, I AM

nombre

სახელი

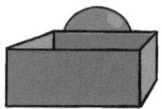

detrás

უკან

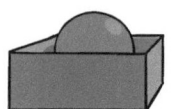

en

შიგნით

adelante de

წინ

por encima de

ზედ

sobre

=-ზე

debajo de

ქვეშ

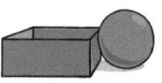

al lado de

გვერდით

entre

შორის

lugar

ადგილი